ISBN SÉRIE 2-84580-048-7 / ISBN VOL. 2-84580-095-9
ISBN ÉD.ORIGINALE 4-09-136358-X

Yuu Watase

AYASHI no CERES 5
Un conte de fées céleste

AYA MIKAGÉ

JEUNE FILLE BALLOTTÉE AU GRÉ DE SON DESTIN. BIEN QU'ELLE SOIT ATTIRÉE PAR SON ENNEMI, TOYA, ELLE EST TROUBLÉE PAR LA GENTILLESSE DE YUHI À SON ÉGARD.

RÉSUMÉ :

À LA VEILLE DE SON SEIZIÈME ANNIVERSAIRE, AYA MIKAGÉ FAIT UNE CHUTE ACCIDENTELLE DU HAUT D'UN PONT. MAIS À SA GRANDE SURPRISE, AU LIEU DE S'ÉCRASER DANS LE VIDE, ELLE SE MET À FLOTTER TOUT DOUCEMENT DANS LES AIRS JUSQU'AU SOL. PEU APRÈS, UN GARÇON MYSTÉRIEUX NOMMÉ TOYA LUI PORTE SECOURS ALORS QU'ELLE MANQUE SE FAIRE ÉCRASER PAR UNE VOITURE.

CET ANNIVERSAIRE EST DÉCIDÉMENT MARQUÉ DU SCEAU DU DESTIN... EN EFFET, LA JEUNE FILLE ET SON FRÈRE JUMEAU AKI SE RENDENT À CETTE OCCASION DANS LA RÉSIDENCE DE LEUR GRAND-PÈRE. MAIS EN GUISE DE CADEAU D'ANNIVERSAIRE, AYA SUBIT UN ÉTRANGE TEST DEVANT TOUTE LA FAMILLE MIKAGÉ RASSEMBLÉE. CE TEST RÉVÈLE QU'ELLE POSSÈDE DANS LES VEINES DU SANG DE NYMPHE CÉLESTE. EN TANT QUE TELLE, LES MIKAGÉ SE VOIENT OBLIGÉS DE L'EXÉCUTER. AYA EST CEPENDANT SAUVÉE IN EXTREMIS PAR YUHI, LE BEAU-FRÈRE D'UNE FILLE QUI POSSÈDE ELLE AUSSI DU SANG DE NYMPHE NOMMÉE SUZUMI.

PENDANT CE TEMPS, KAGAMI, DE LA FAMILLE MIKAGÉ DÉCIDE D'UTILISER TOYA POUR COMBATTRE LES POUVOIRS D'AYA. MAIS LE PÈRE D'AYA, EN ESSAYANT DE DÉFENDRE SA FILLE BIEN-AIMÉE, EST TUÉ PAR LES HOMMES DE MAIN DE KAGAMI. LA MÈRE D'AYA À QUI KAGAMI A DIT QUE SA FILLE AVAIT TUÉ SON MARI DEVIENT FOLLE ET L'AGRESSE. ACCULÉE AU MUR, FACE À LA MORT, AYA PERD LE CONTRÔLE D'ELLE-MÊME ET LAISSE SORTIR AU GRAND JOUR LA

AKI MIKAGÉ

IL EST LA RÉINCARNATION DE L'HOMME QUI FORÇA JADIS UNE NYMPHE CÉLESTE À DEVENIR SON ÉPOUSE

YUHI AOGIRI

SUZUMI LUI A ORDONNÉ DE VEILLER SUR AYA. IL LUI A DÉCLARÉ SON AMOUR MAIS... !?

TOYA

IL EST L'INSTRUMENT AU SERVICE DE LA FAMILLE MIKAGÉ MAIS RESSENT DE L'AMOUR POUR AYA ...

NYMPHE QUI EST EN ELLE, CÉRÈS !! CE QUI PERMET À CELLE-CI DE RECONNAÎTRE EN AKI L'HOMME QUI LUI VOLA JADIS SA ROBE DE PLUMES.

KAGAMI MIKAGÉ S'EST LANCÉ DANS LE "PROJET C", DONT LE BUT EST DE RASSEMBLER ET UTILISER TOUS LES PORTEURS DE "GÉNOME C". TOYA EST CHARGÉ DE RÉCUPÉRER LES PORTEURS DE CE GÈNE. QUANT À AYA, ELLE EST ACCUEILLIE CHEZ LES AOGIRI ET COMMENCE À VIVRE AVEC YUHI. C'EST LÀ QUE CHIDORI KURUMA FAIT SON ENTRÉE ET LEUR DEMANDE LEUR AIDE. PLUS TARD, CHIDORI, VOYANT SON FRÈRE EN DANGER, SE TRANSFORMERA DEVANT LEURS YEUX EN NYMPHE CÉLESTE. ELLE AUSSI EST PORTEUSE DE CE FAMEUX GÈNE C !

TOYA, QUI NE RESPECTE PLUS LES ORDRES DE KAGAMI, DÉCIDE DE LAISSER CHIDORI S'ENFUIR...

JE NE PENSE PAS QUE TU NIES TA RESPONSABILITÉ TOYA

TU AS FAIT EXPRÈS DE FAIRE ÉCHOUER LE PLAN ET DE LAISSER S'ÉCHAPPER CHIDORI KURUMA, QUI ELLE AUSSI EST PORTEUSE DU GÈNE C, N'EST CE PAS ?

...POURQUOI ?

6

LES BLA-BLAS DE YUU WATASE

Coucou c'est Watase !! Yahou, yahou !! Vous voulez savoir ce qui m'arrive pour que je sois de si bonne humeur !? Rien-du-tout !! (rires). À part que j'ai mangé un très bon gâteau à la pizza…

Bon, c'est le volume 5 !! Déjà le cinquième !! J'ai avancé cette fois-ci sur beaucoup d'épisodes avec une concentration extrême, ainsi j'ai pu revoir sérieusement et arranger de nombreux passages. C'était du travail, croyez-moi. Pourtant, si vous n'avez pas la version originale parue en hebdomadaire, vous ne vous apercevrez absolument pas des changements opérés (dans le volume 4, je n'ai pratiquement pas eu le temps de le faire). Watase essaie de retoucher au maximum ses histoires pour les versions recueils. Peut-être ne trouverez-vous pas les deux complètement identiques. Cela prouve bien que je ne suis jamais contente de mon travail même fini…

Hou, j'ai du mal à écrire les lettres. Je me suis récemment rendu compte que la façon dont je tiens mon stylo est bizarre. Elle est faite "pour dessiner les BD", mais ne convient pas pour écrire "des lettres". J'ai compris ! Voilà pourquoi mon écriture n'est jamais stable ! Mon écriture aujourd'hui est différente de celle d'avant mon début de carrière. En tout cas, je m'en moque bien. Cette façon est efficace et en plus, ça ne me donne pas de bosses au doigt (je n'en ai jamais eu). C'est un style extrême (?) ! J'ai essayé de l'apprendre à mes assistantes, mais elles ont eu du mal. Vous voulez savoir comment je le tiens ? Je ne le vous dirai pas (rires). C'est un style atypique que vous auriez du mal à imiter.

Bon, la suite, la suite. La dernière fois j'ai un peu parlé de mon voyage en Floride. Avant tout, ce qui m'a vraiment surprise c'est que là-bas neuf heures du soir est considéré comme la fin de la journée. C'est parce que le soleil va se coucher à cette heure-ci là-bas. Alors c'est normal quand on y pense mais comme je suis tellement habituée au Japon, cela me paraissait mystérieux.

8

10

16

JE ME DEMANDE OÙ JE L'AI MIS ...

CHIDORI EST VRAIMENT IDIOTE, JE SUIS SÛR QU'ELLE TROUVE ÇA AMUSANT !

JE N'AIME PAS CETTE IRRESPONSABILITÉ !

...AH, JE VOIS ...

JE N'ARRIVE PAS À LE TROUVER ...

HEIN ?

MON PENDENTIF !

QUAND ON PERD UNE CHOSE À LAQUELLE ON TIENT, ÇA PERTURBE... ON A L'IMPRESSION QUE ÇA RESTE TOUJOURS DANS NOTRE CŒUR... ENCORE PLUS SI CETTE CHOSE EST UNIQUE AU MONDE ...

JE ME SUIS PROMIS D'ARRÊTER LES MIKAGÉ MAIS EN FAIT JE NE FAIS QUE REGARDER PASSIVEMENT ...

C'EST COMME CE QU'ON RESSENT POUR CEUX QUI ON ÉTÉ ENTRAÎNÉS DANS LE PROJET C... IL Y A CEUX QUI SONT MORTS... ET CEUX QUI RESTENT ...

TU SAVAIS QUE JE N'ÉTAIS PAS TRANQUILLE AUJOURD'HUI, C'EST POUR ÇA QUE TU M'AS EMMENÉE AU KARAOKÉ !

TU AS RAISON... MERCI

YUHI...

"TU DOIS RETROUVER LA ROBE DE PLUMES"

CLING

!?

JE PASSE MON TEMPS À TE REGARDER...

ÇA OUI... JE LE SAVAIS

"ROBE DE PLUMES"

... QUOI

...CÉRÈS
?

...AYA
?

ROBE... DE
PLUMES...

MADEMOISELLE
AYA
!!

C'EST
MONSIEUR
TOYA
!!

TÉLÉPHONE
POUR VOUS
!

TAP
TAP
TAP

VOUS NE
DEVINEREZ
JAMAIS
QUI VOUS
APPELLE !!

20

25

RETROUVONS-NOUS À MINUIT...
LÀ OÙ NOUS NOUS SOMMES
RENCONTRÉS TOUS LES TROIS
POUR LA PREMIÈRE FOIS

"JE QUITTE
LE BUILDING
CE SOIR ET
J'EMMÈNE AKI"

PRÈS DE CE PONT...

JE
VOUS
ATTENDS...
TOYA...
AKI...
!

"JE L'AI
DÉCIDÉ...
PLUTÔT
QUE MON
PASSÉ"

"JE T'AI
CHOISIE"

LA PREMIÈRE FOIS QUE MON CORPS A FLOTTÉ... LA PREMIÈRE FOIS AUSSI QUE J'AI VU TOYA

...IL N'Y A QUE MOI QUI SOIS TOMBÉE DE LÀ ET EN SOIS SORTIE INDEMNE ...

CÉRÈS... COMBIEN DE FOIS ES-TU REVENUE À LA VIE ET DE FOIS AS-TU ÉTÉ TUÉE QUAND VENAIT L'HEURE DU SEIZIÈME ANNIVERSAIRE ?...

JE VIS PLUS LONGTEMPS CETTE FOIS... JE ME DOIS DE FAIRE QUELQUE CHOSE !

"RETROU-VER LA ROBE DE PLUMES"

C'EST ÇA... JE SERAIS TRISTE SI ON ME VOLAIT UNE CHOSE IMPORTANTE... N'IMPORTE QUI DEVIENDRAIT TRISTE EN PERDANT UNE CHOSE À LAQUELLE IL TIENT...

ALLEZ AKI

TOYA...

FAITES VITE !

CÉRÈS VEUT SIMPLEMENT QU'ON "LUI RENDE LA ROBE DE PLUMES" ...

TOUT TOUT

TU NE PEUX PAS NOUS ÉCHAPPER... ET AKI NON PLUS BIEN SÛR

J'AI VOULU CONTINUER À CROIRE EN TOI MAIS JE ME SUIS BIEN TROMPÉ !

ET ALORS PEUT-ÊTRE QUE NOUS POURRONS CHANGER LE DESTIN DES MIKAGE... ET LE MIEN ...

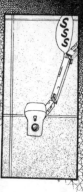

ON NE L'A PAS FOUILLÉ AVANT DE LE FAIRE ENTRER ? ...D'OÙ SORTAIT-IL CETTE ÉPÉE ?!...

CHEF

PEU IMPORTE, MESURES DE SECOURS DE TOUTE URGENCE AU DIZIÈME ÉTAGE... IL VA SE DIRIGER VERS LA CHAMBRE D'AKI... TUEZ-LE SI NÉCESSAIRE !!

IL EST SORTI !!

NOUS VÉRIFIONS ENCORE MAIS LA PROVENANCE DE SON ARME ET DE LA PUISSANCE QU'IL A DÉPLOYÉE NOUS SONT INCONNUES !!

NOUS AVONS FAIT TOUTES LES VÉRIFICATIONS ET RIEN N'A ÉTÉ DÉCELÉ !!

JE PASSE EN MODE "A" !

TIC

TIC

...JE L'AI TROUVÉ INTÉRESSANT DÈS LE PREMIER JOUR... MAIS QUI EST-IL ?

WOOSH

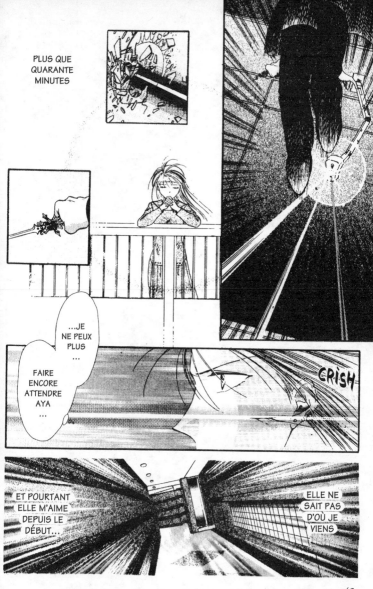

PLUS QUE
QUARANTE
MINUTES

...JE NE PEUX PLUS...

FAIRE ENCORE ATTENDRE AYA...

CRISH

ET POURTANT ELLE M'AIME DEPUIS LE DÉBUT...

ELLE NE SAIT PAS D'OÙ JE VIENS

VAS-Y TOYA ! À DROITE C'EST ÇA !! C'EST LA CHAMBRE DE AKI !

OUAH

CE TYPE EST UN MONSTRE !!

SA VITESSE EST INCROYABLE !

BOUM

...JE BLAGUE

HALTE !!

...TU UTILISES DE DRÔLES DE POUVOIRS... TU AS L'AIR BIEN FORT ...

TIC TAC

TIC TAC

TIC TAC

TIC TAC

TIC TAC

TIC TAC

TIC TAC

"PLUTÔT QUE MON PASSÉ, JE T'AI CHOISIE"

...ALORS... VOUS AUSSI VOUS VOULEZ ESSAYER DE SORTIR DE CET AQUARIUM ?

...MÊME SI VOUS SAVEZ QU'EN SORTIR SERA DUR ET QUE VOUS POUVEZ PEUT-ÊTRE MOURIR ...

47

...TON VISAGE SANS EXPRESSION ME PLAÎT BEAUCOUP...

BIEN

TOYA !!

CLING

TU PENSAIS POUVOIR ME FAIRE MAL AVEC ÇA ?

TCHAC

BON, MAÎTRE AKI, VEUILLEZ RENTRER DANS VOTRE CHAMBRE S'IL VOUS PLAÎT...

FF

QU'EST-CE QUE TU CROYAIS ?!! J'ALLAIS PAS TE LAISSER FAIRE SEULE !!

TU ES QUAND MÊME VENU !?

TÜÜT TÜÜT

......

...
OUI

...TU CROIS VRAIMENT QUE TOYA VA VENIR ?

...JE LE CROIS ...

60

YUHI !?

ON RENTRE AYA !

CE N'EST PLUS LA PEINE D'ATTENDRE

ZZZ

!!

IL EST BIENTÔT UNE HEURE

TOYA... AKI, JE VOUS EN PRIE VENEZ !!

JE SAVAIS QUE CE SERAIT IMPOSSIBLE !

LES MIKAGÉ NE LES LAISSERAIENT JAMAIS SORTIR AUSSI FACILE-MENT

RENTRE EN AVANT ! MOI JE RESTE ET J'ATTENDS !!

... COMME TU VEUX !

ET MADE- MOISELLE AYA ? IL NE RESTE NI PASSANT NI VOITURE !

YUHI !

ENCORE UN PEU ...

... ATTENDONS

C'EST UNE LETTRE DE AKI !

OÙ EST AKI ...?

....

?

IL EST RESTÉ LÀ-BAS... C'ÉTAIT SON SOUHAIT ...

"VAS-Y TOUT SEUL ET DONNE CETTE LETTRE À AYA"

"TOI JE TE HAIS... VOILÀ POURQUOI JE NE PEUX PAS RENCONTRER AYA"

"CELUI QUI EST EN MOI LA VOIT COMME UNE FEMME"

NON !!!

TOYA, ARRÊTE ! TU VAS MOURIR !!!

...JE VIENS D'APPELER UNE AMBULANCE ALORS RESTE TRAN-QUILLE...

MÊME SI TU PARVENAIS À RAMENER AKI CELA NE TE FERAIT RIEN DE MOURIR !?

TAP

CELA NE ME SEMBLE PAS IMPORT-TANT...

... NON

POUR MA PART, ON ME FAIT BEAUCOUP ÉTUDIER... PARFOIS JUSQU'À L'ÉPUISEMENT. ET SURTOUT ...

ÇA SE PASSE BIEN À L'ÉCOLE ? TU NE DONNES PAS TROP DE SOUCIS AUX AOGIRI ?

POUR AYA, COMMENT VAS-TU ?

IL PARAÎTRAIT QUE DANS MA VIE ANTÉRIEURE J'AURAI VOLÉ À "CÉRÈS" SA "ROBE DE PLUMES"... J'ESSAIE DE M'EN SOUVENIR... MAIS CELA EST COMME JE LE PENSAIS TRÈS DIFFICILE ...

JE ME DEMANDE COMBIEN DE TEMPS S'EST ÉCOULÉ DEPUIS NOTRE DERNIÈRE RENCONTRE ...

CEPENDANT, MÊME SÉPARÉS, NOUS SOMMES TOUJOURS "UNE FAMILLE". TU NE PEUX PAS COMPTER SUR MOI MAIS JE SUIS TOUJOURS TON FRÈRE. JE NE PEUX RIEN POUR TOI MAIS JE SUIS CONTENT QUE TU SOIS MA SŒUR.

PAPA N'EST PLUS LÀ ...ET POUR MAMAN, JE PENSE QUE RIEN NE CHANGE (JE SUIS DÉSOLÉ DE NE PAS ÊTRE RESTÉ À SES CÔTÉS).

SI J'ARRIVAIS À RENDRE "LA ROBE DE PLUMES" À "CÉRÈS"... PEUT-ÊTRE QUE "CÉRÈS" SORTIRAIT DE TOI...

JE NE CROIS PAS QU'UN "LIEN" PUISSE SE BRISER AUSSI FACILEMENT !

POUR MOI OU POUR LES MIKAGÉ, TU ES NOTRE SEUL ESPOIR.

POURTANT AYA, TU ES AYA... ET MOI JE SUIS MOI... RIEN NE CHANGERA ENTRE NOUS ...

SI TU T'ACCROCHES ALORS MOI NON PLUS JE N'ABANDONNERAI PAS... JE VEUX QUE TU T'ACCROCHES À LA VIE ET QUE TU PROTÈGES TOUT CE QUI EST PRÉCIEUX POUR TOI. JE SAIS QUE TU ES ASSEZ FORTE POUR LE FAIRE, EN DÉPIT DE TOUT CE QUI PEUT ARRIVER.

QU'EST-CE QUE TU AS... ?

TON FRÈRE QUI T'AIME.

MAIS N'EN FAIS QUAND MÊME PAS TROP (C'EST UN PEU TON CARACTÈRE, HEIN ?!)... PRENDS VRAIMENT BIEN SOIN DE TOI ET TRANSMETS MES AMITIÉS À LA FAMILLE AOGIRI.

...QUAND ON ÉTAIT ENSEMBLE, ON NE FAISAIT QUE SE DISPUTER... C'EST ÇA LES FRÈRES ET SŒURS !!

JE RELISAIS LA LETTRE D'AKI

QUELLE IDIOTE JE FAIS... À CHAQUE FOIS QUE JE LA RELIS JE ME REMETS À PLEURER

LES BLA-BLAS DE YUU WATASE

J'étais vraiment heureuse d'être avec des amis (rires). On était quatre dont deux personnes rencontrées pour la première fois. Ils étaient tellement drôles avec leur accent du Kansai, pendant tout le voyage je n'ai pas arrêté de rigoler. Dans Disneyworld, nous avons fait plein de photos avec les personnages de Disney, bien sûr avec Mickey et Minnie (quand on prenait le déjeuner, ils venaient à notre table) aussi, Winnie l'ourson ou d'autres personnages de TOY STORY. En tout cas, à l'intérieur, ce sont des étrangers qui n'arrêtaient pas de nous toucher (rires). On disait "arrête, arrête, tu fais trop de câlins !!" "c'est du harcèlement sexuel !!" "qu'est ce que tu fais mickey ?!!". Et puis, ça aussi je le savais plus ou moins mais les gens mangeaient en quantité trop importante ! La quantité absorbée en glaces ou en jus de fruit était énorme ! En plus ils commandaient le double ou l'extra large ! La nourriture était difficile à avaler comme les sandwichs au thon au goût de hamburgers ! Ils étaient bons mais manger tous les jours du pain ou de la viande (moi je ne mange pas de viande comme ça, il faut qu'elle soit préparée pour moi), ce n'était pas assez équilibré pour moi. La cuisine japonaise me convient vraiment parfaitement !... C'est vrai qu'il n'y avait pas que des choses amusantes. Il y eut des accidents (rires). Plus que moi, mes amis étaient en colère, mais ces histoires, je vous les raconterai une autre fois. En un mot "hé, les étrangers, écoutez plus lorsque les autres parlent". On peut dire aussi qu'ils sont généreux, mais... la différence de culture est intéressante. Là-bas, Disneyworld est ouvert jusqu'à minuit. On a donc manqué de sommeil (rires). Pour des attractions comme le "Big Thunder", la montée était plus dure qu'au Japon. Et "Haunted Mansion" était aussi plus sombre. J'ai abandonné "Twilight Zone" car je ne suis pas très courageuse. Je transpirerais si je devais tomber d'une hauteur équivalente à treize étages dans un ascenseur (rires).

81

AH C'EST INTERDIT DE PASSER À CAUSE DES TRAVAUX PAR ICI

IL Y A EU QUELQUE CHOSE ?

C'EST INCROYABLE QU'UNE TELLE CHOSE PUISSE SE PASSER À "MIKAGÉ INTERNATIONAL", UNE SOCIÉTÉ AUSSI IMPORTANTE MONDIALEMENT

PENDANT TON VOYAGE, IL SEMBLE QU'UN VOLEUR AIT PÉNÉTRÉ ICI ...

"AU MOINS ON EN SAIT, AU MIEUX C'EST"... SI TU VEUX SURVIVRE DANS LA SOCIÉTÉ, GARDE CETTE PHRASE À L'ESPRIT... POUR NOUS, IL VAUT MIEUX SE CONTENTER DE VENIR TOUS LES JOURS ET DE RECEVOIR NOTRE SALAIRE À LA FIN DU MOIS, C'EST MIEUX AINSI !

MAIS CHEF... CELA FAIT TROIS ANS QUE JE SUIS ICI ET DES RUMEURS COURENT... BEAUCOUP SE DEMANDENT CE QUI SE PASSE DANS LES ÉTAGES SUPÉRIEURS ...

84

QUOI
?

M... MERCI !
POUR AVOIR
EMMENÉ
TOYA ICI
!

YUHI
!

CE N'EST PAS
POUR LUI
QUE JE L'AI
FAIT MAIS
POUR TOI

ATTENDS
YUHI
!!

YUHI...
ÇA FAIT
LONGTEMPS
QUE JE VEUX
TE LE DIRE
...

ET POUR MES SENTIMENTS J'EN SUIS LE SEUL RESPONSABLE AUSSI

MON CŒUR EST LIBRE, NON ? JE CROIS PAS QU' "AIMER À CÔTÉ" SOIT MAUVAIS EN SOI ...

MÊME SI JE DONNE L'IMPRESSION DE NE REGARDER LES CHOSES QUE PASSIVEMENT

...MAIS SOIS SÛRE, QUE JE NE SUIS PAS UN GARÇON STUPIDE

S'IL RECOMMENCE À TE BLESSER OU À TE FAIRE PLEURER

...
OUI

MAINTENANT, J'AI ENFIN L'IMPRESSION D'AVOIR TROUVÉ MA PLACE

MAIS CELA N'ÉTAIT PAS NÉCESSAIRE...

...IL N'A PLUS RIEN DIT ENSUITE...

C'ÉTAIT ÉCRIT DANS UN LIVRE... POUR MÉLANGER LEURS ÂMES, DEUX AMOUREUX

...ONT CONFONDU LEUR CŒUR ET LEUR CORPS

...SA TRISTESSE ET SA SOLITUDE

DIS AKI... CE FAMEUX "LIEN", CE DOIT ÊTRE DE "L'AMOUR", NON ?!

JE VEUX LES PARTAGER... JE VEUX L'EN SOULAGER... NE SERAIT-CE QU'UN PETIT PEU

... AKI

NE REVIEN-DRA PLUS

...SI SEULEMENT AKI POUVAIT ÊTRE LÀ, TOUT SERAIT PARFAIT, POURQUOI N'EST-IL PAS LÀ ?

ENFIN, PEU IMPORTE...

TOYA EST REVENU JUSQU'À MOI

JAMAIS !

QU... !!

ET IL NE ME QUITTERA PLUS, ALORS

97

DATE DE NAISSANCE :
14 février il y a 20 ans (gros mensonge)

GROUPE SANGUIN : O (PEUT-ÊTRE)

TAILLE : 150 CM
MENSURATIONS : 100/100/100

HOBBY : COLLECTIONNER DES PETITES CHOSES EN RAPPORT AVEC L'AMOUR / LA POTERIE

SPÉCIALITÉS : POURSUIVRE LES CÉLÉBRITÉS / CONDUIRE DES VOITURES… ELLE EST DOUÉE AVEC LES ENFANTS (HÉ HÉÉÉ)

KYOU ODA

UN... MIROIR

BANG

CE N'EST PAS JUSTE !! VIENS ICI POUR VOIR, ALLEZ VIENS !!

CELA EST IMPOSSIBLE... JE VIS À L'INTÉRIEUR DE TOI !

JE VEUX SIMPLEMENT EMPÊCHER LES GENS DE MA FAMILLE DE FAIRE DES BÊTISES !!

TUER ? QUI T'A DIT ÇA ?!!

TU AS ACCEPTÉ MON EXISTENCE POUR TUER LES MIKAGÉ

100

...AYA, CE QUE TU VOIS MAINTENANT CE N'EST QUE TOI...

AKI N'A RIEN À VOIR DANS CETTE HISTOIRE

TU POURRAIS AUSSI BIEN ME REMETTRE TON ENVELOPPE CHARNELLE ET DORMIR JUSQU'À CE QUE TOUT CELA SE TERMINE

TU PENSES QUE LES HOMMES SONT DES ÊTRES AUSSI DÉSESPÉRANTS ?

TU TE TROMPES SUR TOUT ET POURQUOI NIES-TU QU'IL Y AIT DES MOYENS D'AMÉLIORER LES CHOSES ?

JAMAIS !!

...D'ACCORD... ON VA FAIRE UN MARCHÉ...

JE SUIS ARRIVÉE À TEMPS !!

PARDON !!

QUOI ?

MADAME KYOU, VOYONS !!!

"TU CROIS QU'UNE MÈRE PEUT VOIR SES ENFANTS COMMETTRE DES HORREURS SANS SOUFFRIR !?"

C'EST SÛR QU'IL FAIT ENVIE !

COMBIEN DE FOIS CETTE SCÈNE S'EST-ELLE REPRODUITE ?... ET À CHAQUE FOIS DE NOUVELLES RANCŒURS S'AJOUTAIENT...

ELLES SONT MORTES SI TRISTEMENT... LES MIKAGÉ ONT TUÉ TOUTES LES FILLES DE LA FAMILLE SUSCEPTIBLES DE METTRE LA MAIN SUR LA ROBE DE PLUMES... C'EST ÇA LE DÉBUT DE TOUTE CETTE HISTOIRE

LE SOUHAIT DE CÉRÈS C'EST DONC LA ROBE DE PLUMES...

MOI JE VAIS ARRÊTER ÇA !!

MAIS

J'EN SAIS RIEN ! MÊME LES MIKAGÉ N'EN SAVENT PAS PLUS SUR CE POINT ...

LA ROBE DE PLUMES, C'EST QUOI... UN VÊTEMENT ?... ET OÙ PEUT-IL ÊTRE !?

REPRENDRE LA ROBE DE PLUMES !?

D'ACCORD !
"TOYA – JE SUIS SORTIE UN MOMENT, JE PARS SANS TE RÉVEILLER TU AVAIS L'AIR SI BIEN...
C'EST LE JOUR DE MA VISITE À MA MÈRE. JE RENTRERAI VITE. ATTENDS-MOI SAGEMENT. SIGNÉ AYA"
...JE NE SUIS PLUS UN ENFANT !
VLL

LA ROBE DE PLUMES ?

ELLE EST DÉCIDÉE. CETTE FOIS ELLE VEUT RETROUVER LA "ROBE DE PLUMES" !!!

...AH BON... VOUS ÉTIEZ RÉVEILLÉ ?

AYA EST PARTIE IL Y A TOUT JUSTE 30 MINUTES

EN TOUT CAS, KAGAMI ESSAYE DE LE SAVOIR EN SONDANT LA MÉMOIRE DE AKI... LE PROJET C DEVRAIT ÉGALEMENT ÊTRE EN RELATION... ENFIN JE CROIS ...

CUI CUI CUI

...HMM... JE N'EN SAIS ABSOLUMENT RIEN ...

LA "ROBE DE PLUMES" DE CÉRÈS EST-ELLE CHEZ LES MIKAGÉ ?

112

LES BLA-BLAS DE YUU WATASE

Bon, la dernière fois j'ai parlé d'un autre sujet et je n'ai pas pu vous raconter les dédicaces en Akita. Les gens qui étaient venus, je les remercie vraiment !! J'ai vraiment été touchée et encore merci pour les cadeaux. En Akita, l'air était vraiment très pur et les gens étaient aussi très sympas, cela restera un bon souvenir. J'aimerais bien y retourner. J'y ai même goûté le "kiritampo". À la librairie où eu lieu les dédicaces, j'ai acheté entre autres "Kurushi" et "Parappa"... Oh la la, ma mère a joué sérieusement à "Kurushi" et elle a atteint le niveau final en trois heures sans que je ne puisse essayer moi-même, j'ai découvert la fin sans jouer ! Moi je me demande jusqu'à quel niveau j'ai avancé à "Kurushi". Peut-être 300. Ma mère s'était passionnée avant pour Puyo-Puyo. Dans la version "Tokoton Puyo-Puyo", elle a atteint facilement le niveau 99 et disait qu'elle avait "essayé en vain d'atteindre le dernier niveau 100" en se fâchant. Aujourd'hui, elle m'a volé "Shanghai" et y a joué comme une folle comme d'habitude. Et elle est déjà arrivé au niveau final. À cause d'elle, je ne peux pas terminer "Final Fantasy VII". J'ai réussi à battre du premier coup "Séphiroth en plusieurs morceaux" mais ensuite j'ai perdu contre "Séphiroth en ange avec une seule aile". Parce que j'étais fascinée par ce personnage. Ce numéro VII n'a pas eu bonne réputation de la part des gens qui avaient joué aux numéro précédents de "FF" à cause de son ambiance... mais j'aime quand même bien les personnages. J'achèterai la version "internationale" pour essayer de nouveau en regardant le CD-encyclopédie avant. Zut, avant cela, il faut que je finisse "Virus"... il faut aussi que je demande à une de mes assistantes de me prêter "Kowloon's Gate". J'ai un ami (qui travaille chez Capcom) qui j'ai demandé "Resident Evil 2" (par cette relation, j'ai réussi à avoir "Street Fighter Zero 2" aussi)... Ah ah ah, je n'ai plus beaucoup de temps (rires) mais nos cœurs (le mien et celui de mes assistantes) sont aujourd'hui tournés vers "Linda Cube"... (rires) j'aimerais bien l'essayer. Je pense que mes préférences vont plutôt aux jeux sombres...

TIENS... ?
DANS LE BAS DE
L'ENVELOPPE, IL
Y A UNE CHOSE
D'INSCRITE, EN
TOUTES PETITES
LETTRES
...

J'AI DÛ ME
FAIRE DES
IDÉES
...

HOP

...ALORS ?
..."SI"

"SI JAMAIS JE NE RÉSISTAIS PAS, ALORS JE VEUX QUE TU ME TUES DE TES MAINS"

TOOT

TOOT

C'EST BIEN AKI... QUE TU AIES VOULU ALLER À LA MAISON DE TOI-MÊME...

TON GRAND-PÈRE SE SENT VRAIMENT TRÈS MAL... JE SUIS SÛR QU'IL SERA CONTENT !

117

118

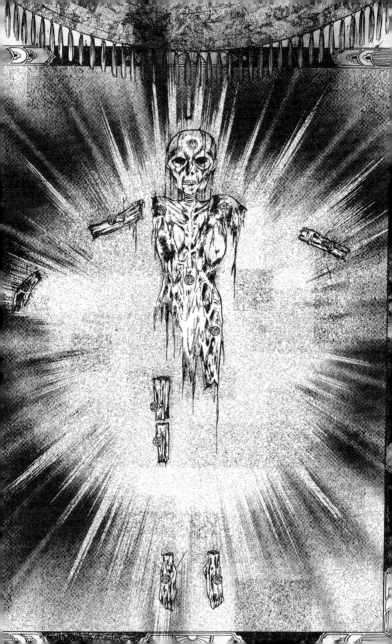

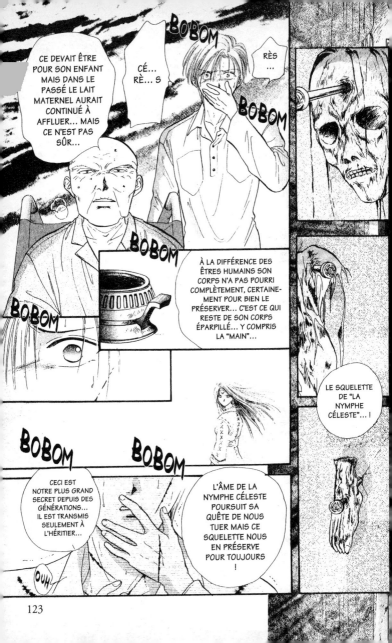

BOBOM

CE DEVAIT ÊTRE POUR SON ENFANT MAIS DANS LE PASSÉ LE LAIT MATERNEL AURAIT CONTINUÉ À AFFLUER... MAIS CE N'EST PAS SÛR...

CÉ... RÈ... S

RÈS ...

BOBOM

BOBOM

À LA DIFFÉRENCE DES ÊTRES HUMAINS SON CORPS N'A PAS POURRI COMPLÈTEMENT, CERTAINEMENT POUR BIEN LE PRÉSERVER... C'EST CE QUI RESTE DE SON CORPS ÉPARPILLÉ... Y COMPRIS LA "MAIN"...

BOBOM

LE SQUELETTE DE "LA NYMPHE CÉLESTE"... !

BOBOM

BOBOM

CECI EST NOTRE PLUS GRAND SECRET DEPUIS DES GÉNÉRATIONS... IL EST TRANSMIS SEULEMENT À L'HÉRITIER...

L'ÂME DE LA NYMPHE CÉLESTE POURSUIT SA QUÊTE DE NOUS TUER MAIS CE SQUELETTE NOUS EN PRÉSERVE POUR TOUJOURS !

OUH

131

132

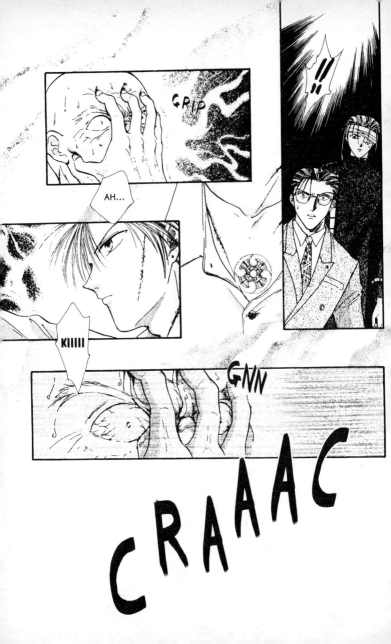

...CECI
N'EST

...C'EST
PAS ÇA
...

...QUE
SON
SQUE-
LETTE

DE
FEMME
...

LES BLA-BLAS DE YUU WATASE

Bon je continue. Je me suis rappelée que je n'avais pas encore parlé de la musique que j'écoute en dessinant "Ayashi" !! En ce qui concerne les BGM, il y en a plusieurs dont "Ghost In The Shell" (BO du film et du jeu sur Playstation) ou encore "Fried Dragon Fish" réalisé par Shunji Iwai, et aussi "Parasite Eve" etc. Et toujours "Ken Ishii", "Kuro" etc. (la plupart sont des copies CD faites par mes assistantes), ce que l'on appelle la "trans-techno" qui est géniale ! C'est vraiment classe ! Lorsque "Cérès" combat et que les scènes deviennent hard, on écoute le plus souvent des morceaux de techno. Pour tout ce qui touche au cyber c'est exactement ce qu'il faut !

Ah oui, il ne faut pas oublier non plus celle dont tout le monde est hyper-fan ici, j'ai nommée madame Yoko Kanno !! De "Macross Plus" à "Escaflowne" en passant par "Nobunaga" et "Chugoku" mais aussi "Memories" !! On l'écoutait déjà en faisant "Fushigi Yugi"...

Je crois que cela est représentatif de ce que l'on a. Les deux premières sont beaucoup écoutées. Ce sont des compositeurs extraordinaires et ils ont créé plein de musiques (elles sont toutes fantastiques) !! Je veux qu'ils en créent encore. Nous sommes très difficiles dans le choix de nos musiques (rires), surtout moi, j'imagine les scènes en écoutant la musique et crée des épisodes par la suite. Je suis très sensible à la musique qui me convient. Pour ce qui est du concept "Ayashi"... je dirais "plutôt sombre" + "chic" + "beau et triste" à la fois... oh la la (rires). Dans ma tête, c'est super mais ma capacité à dessiner ne suit pas. les voix et la vision sur le monde de "Mystery Of Sounds" de Yuko Tsuburaya me plaisent mais en laissant les paroles de côté. J'aime bien ce genre d'ambiance mais même avec un rythme cadencé je n'aime pas les musiques gaies ! Peut-être que pour Aya l'ambiance gaie lui va bien... Tiens, pour Cérès ça serait "Suna No Wakusei" de Youmin. C'est vrai que ça lui va très bien (rires) !! Pour Yuhi, je ne trouve pas la musique exacte... Je pense éventuellement à l'album de "Jungle Smile" qui s'appelle "Niji No Capsule" à suivre...

137

BOBOM !!

... SALUT

QUOI ?
TU TE
CHANGES
LES PAN-
SEMENTS
?

TU ES
BLESSÉ ET
FAIRE TOUT
TOUT SEUL
CE N'EST PAS
RAISONNABLE

...TU AS
RAISON...
J'AURAI
DÛ LUI
DEMANDER

JE SUIS UN PEU
SURPRISE, C'EST
LA PREMIÈRE FOIS
QUE JE LE
VOIS NU...

QUAND IL EST EN
KIMONO JE LE
TROUVE TRÈS SEXY,
ÇA ME REND TOUTE
CHOSE

JE VAIS
T'AIDER JE
VAIS T'AIDER
!

JE ME SUIS
LAVÉ MAIS
C'EST DIFFICILE
D'UNE SEULE
MAIN
!

TCHAC

"MA FEMME"

CE QUI EST REMARQUABLE C'EST LE FAIT DE VOIR VIVRE CÉRÈS...

JE COMPRENDS MIEUX MAINTENANT POURQUOI LA NYMPHE CÉLESTE S'EST RÉINCARNÉE À CHAQUE FOIS DANS LA PEAU D'UNE FILLE MIKAGÉ

MAIS EST-CE CECI QUI CONTINU DE PROTÉGE LES MIKAGÉ ?

...JE N'EN SAIS RIEN... MAIS VOUS AURIEZ PLUTÔT, BESOIN DE VÊTEMENTS

OÙ EST CÉRÈS ?

EN AYA MIKAGÉ...

JE NE SAIS PAS COMMENT C'ÉTAIT AVANT, MAIS AUJOURD'HUI CE N'EST PLUS QUE... UN SQUELETTE

OH

HEIIIN !?

MADEMOISELLE AYA, MADEMOISELLE AYA, MADEMOISELLE AYA !!!!

QUOI ENCORE ?

POURQUOI MADAME KYOU CRIE-T-ELLE COMME ÇA ?!

ET ALORS... ? POUR REN- CONTRER AKI...

TAP TAP TAP TAP SLL TAP TCHAC

MONSIEUR TOYA A DISPARU !!!

OUAH

AH AH AH

QUOI ?

J'AI ESSAYÉ D'Y DORMIR !!

JE VOUS LE JURE, SES DRAPS ÉTAIENT FROIDS !!

TU PLAISANTES J'ESPÈRE ...

J'AI CRU VOIR UN SPECTRE !!!

ET ELLE S'EN VANTE !!

AYA !!

AYA ! ...TU SAIS JE CROIS QUE...

JE NE PEUX PAS LAISSER AKI COMME ÇA...

DE PLUS, POUR LES MIKAGÉ JE SUIS UN "TRAÎTRE" ET ILS VONT ME PRENDRE POUR CIBLE, JE VOUS METS DONC EN DANGER ...

POURQUOI EST-CE QUE TU VEUX FAIRE TOUT TOUT SEUL !?

AH AH

...TOI ALORS, VRAIMENT !!!

D'UNE CERTAINE FAÇON... POUR TOI... JE VAIS COMBATTRE LES MIKAGÉ !

TU M'AVAIS POURTANT DIT "JE ME DONNERAI À TOI" !!

OUI... EXACTE- MENT

MENTEUR !!

152

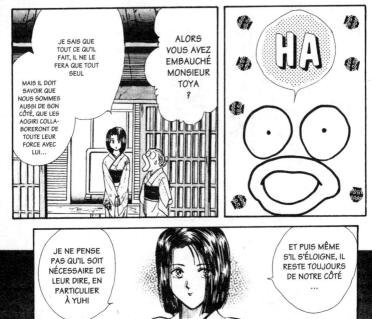

JE SAIS QUE TOUT CE QU'IL FAIT, IL NE LE FERA QUE TOUT SEUL

MAIS IL DOIT SAVOIR QUE NOUS SOMMES AUSSI DE SON CÔTÉ, QUE LES AOGIRI COLLA-BORERONT DE TOUTE LEUR FORCE AVEC LUI...

ALORS VOUS AVEZ EMBAUCHÉ MONSIEUR TOYA ?

HA

JE NE PENSE PAS QU'IL SOIT NÉCESSAIRE DE LEUR DIRE, EN PARTICULIER À YUHI

ET PUIS MÊME S'IL S'ÉLOIGNE, IL RESTE TOUJOURS DE NOTRE CÔTÉ ...

JE TE LE PROMETS !

POUR MOI, TU ES

CELLE QUE JE NE QUITTERAI JAMAIS

QU'EST-CE QUI VIENT DE SE
PASSER À L'INSTANT ?

JE N'AI RIEN
COMPRIS !

SALAUD … !!

ME DÉPOUILLER DANS MA VIE ANTÉRIEURE NE T'A DONC PAS SUFFI, IL FAUT ENCORE QUE TU ESSAYES DE ME REPRENDRE !!

JAMAIS... SI TU LA VEUX , CHERCHE-LA TOI-MÊME... MAIS TU N'AS AUCUNE CHANCE ...

JE TE L'AVAIS POURTANT DIT AVANT, JAMAIS JE NE TE LAISSERAI PARTIR... NI T'ENFUIR ...

J'AI COMPRIS... ELLE N'A PAS COMPLÈTEMENT DISPARU ET DOIT ENCORE EXISTER QUELQUE PART !!

RENDS-LA-MOI !! ELLE M'APPARTIENT !!

CRAC

LES BLA-BLAS DE YUU WATASE

Il y a "Gijirenai" et je la trouve bien pour Aya et Yuhi dans le volume 3 et 4. Pour Toya... l'image de musique est celle de synthétiseurs et pianos avec une jolie mélodie triste. En vocale... J'écoute souvent pour lui à la maison (?) "Providence" de "Luna Sea"... "Eden" me plaît également beaucoup, l'ambiance est bonne. En tout cas pour lui, ça sera la musique jouée par des musiciens élégants !! Pour Aki... comme vous l'avez compris dans le volume 5, il a deux images différentes. Pour "Aki ressuscité" quelques chansons aux paroles excentriques, mais aussi chantées par des chanteurs plutôt beaux.. ? Ah oui, pour Toya au contraire "Yo" du film "Ghost In The Shell" qui est un peu mystérieux lui convient parfaitement. Cette ambiance japonaise avec tambours traditionnels avec un son live... Ce mélange inattendu est tout bon. Au fait, la famille Mikage donne une image de musique "classique" et avec des morceaux plutôt lourds et sérieux. Et puis maintenant, des musiques de chœurs me plaisent bien. C'est cette création de mots que j'adore. Ensuite, le style bulgare ? (comme dans la bande originale de "Face") c'est mon tube (rires). Ça semble mal coordonné de dessiner une scène de destruction en écoutant ce genre de musique mais je crois en vérité que cela va au final parfaitement. Plus le chœur est sain plus ça va. Je vous recommande aussi "Adiemas en de". J'ai mélangé tous les genres. Mais en ce qui concerne "Ayashi", l'image est très dure et si vous écoutez toutes ces musiques vous comprendrez mieux l'esprit du livre (rires). Ça doit être confus. Je cherche toujours des musiques belles mais sombres. La musique de fond aussi est importante. Au fait cette fois-ci il y a un bla-bla en moins à cause d'ajout de pages. je n'ai même plus de pages pour la galerie d'illustrations ! j'en suis désolée. Ah oui, une information !! "Fushigi Yugi" va sortir en roman l'année prochaine (98) !? Mais les textes ne seront pas de moi à cause du manque de temps. Par contre, l'histoire et les personnages c'est moi-même qui les ai conçus. C'est l'histoire sur Tasuki et son passé. Vérifiez bien les nouvelles sorties de "Palette bunko". De nouvelles cassettes vidéo aussi sont en vente ! La série télévisée ainsi que la diffusion sur internet de "Fushigi Yugi" vont bientôt arriver ! Cette fois-ci les fans de Aki ont dû souffrir. Autour de moi "Aki ressuscité" a eu beaucoup de succès. Bon accrochez-vous pour la suite de "Ayashi" vous risquez d'avoir peur ! Mais non, je blague !!(rires)
28 octobre 1997 BGM "The End Of Evangelion". En regardant ce film je suis tombée malade au beau milieu...

MAIS QUAND MÊME... L'ANCÊTRE QUI SE RÉVEILLE ...

POUR LE PROJET C, LE BIEN OU LE MAL EN DÉCOULERA, CELA DÉPEND DE DIEU ...

NON, CELA DÉPEND DE LA NYMPHE CÉLESTE ...

CHEF, MAÎTRE AKI EST ...

RESTÉ SANS MANGER NI BOIRE PENDANT DES JOURS, ET SANS DORMIR NON PLUS, IL EST NATUREL QUE SA RÉSISTANCE PHYSIQUE SE SOIT AMOINDRIE ...

VIDÉO 1

QUOI
!

M STATION VA COMMENCER, AUJOURD'HUI IL Y A GESANG ! ILS ONT FAIT UN NOUVEAU TUBE !!

ÇA NE M'INTÉRESSE PAS ...

BIP

...J'EN VEUX PAS ...

ELLE N'A MÊME PAS ALLUMÉ LES LUMIÈRE

IL FAUT QUE TU MANGES ! TU ES RESTÉE ENFERMÉE DEPUIS HIER !

ÇA N'EXISTE PAS CE GENRE D'HISTOIRE... MAIS JE PENSAIS QUE ÇA DEVRAIT ÊTRE BIEN

...IL Y EN A SOUVENT DANS LES BD... DEUX AMANTS QUI RENAISSENT ET LORSQU'ILS SE RENCONTRENT, ILS SE LIENT ENSEMBLE À NOUVEAU ...

AYA ...

CROIS-Y !!
CROIS EN
AKI ET EN
LA ROBE
DE PLUMES
!!

"FRÈRE ET
SŒUR", CE
N'EST PAS QUE
ÇA. TU LUI AS
DIT À SHOTA, "IL
NE FAUT JAMAIS
RENONCER "
!!

ATTENDS
UN PEU
!!!!

BAM

HEIN ?
TU DIS QUE TU
AVAIS "UNE
NYMPHE
CÉLESTE"
DANS TES
ANCÊTRES ?

AKI

...
MAIS
...

MAIS
... !!

AYASHI NO CÉRÈS 5 – UN CONTE DE FÉES CÉLESTE ★ FIN ★

"AYASHI NO SERESU !"
un conte de fées céleste
© 1996 by WATASE Yuu

All rights reserved
Original japanese edition published in 1996 by SHOGAKUKAN Inc., Tokyo
French translation rights arranged with SHOGAKUKAN Inc.
for Belgium, Canada, France, Luxembourg and Switzerland

Édition française :
© 2001 TONKAM
BP 356 - 75526 Paris Cedex 11.
Traduction : Satoko Renaud
Adaptation Lettrage et Maquette : Studio TONKAM

1re édition : janvier 2001
2e édition : septembre 2001

Achevé d'imprimer en septembre 2001
sur les presses de l'imprimerie Darantière à Quétigny (Côte d'Or)
Dépôt légal : septembre 2001